Para Micaela y Nicolás

Dirección editorial
Ana Laura Delgado

Cuidado de la edición
Angélica Antonio

Diseño
Ana Laura Delgado
Isa Yolanda Rodríguez

© 2010. María Baranda, por el texto
© 2010. María Wernicke, por las ilustraciones

La autora agradece el apoyo del Sistema Nacional de Creadores de Arte del FONCA

Primera edición, abril 2010
D.R. © 2010. Ediciones El Naranjo, S. A. de C. V.
        Cerrada Nicolás Bravo núm. 21-1,
        Col. San Jerónimo Lídice, 10200, México, D. F.
        Tel/fax + 52 (55) 56 52 1974
        elnaranjo@edicioneselnaranjo.com.mx
        www.edicioneselnaranjo.com.mx

ISBN 978-607-7661-13-9

Impreso en México • *Printed in Mexico*

Sol de los amigos

Donde se habla de la amistad
de un Perro, un Pájaro
y otros amigos

María Baranda

Ilustración
María Wernicke

ediciones
el naranjo

Sol de los amigos

Sol de los amigos cuida siempre de nosotros.
No dejes de alumbrar la casa, el campo, la charca.
Cuida todos los días y todas las noches
con su luna que aguarda por ti en el cielo.
Surge, siempre, aun en lo lejos,
de la bruma y la niebla y también del invierno.
No dejes que estemos sin ti, sol.
Sol, abrázanos redondo, despacio,
con tu luz que alumbra nuestro corazón de amigos.

Del día en que se conocieron Perro y Pájaro

Perro le dijo al sol del mundo
al sol que ardía sobre la arena:

yo viviré con ese Pájaro que silba
al aire y a la espuma sus canciones

tan bellas como olas que salen de la página
y forman un camino de hermosas sílabas que rugen.

Lo que supo Perro

Rugen como leonas,
como las fieras que duermen bajo la luna.

Rugen, las sílabas, una a una
como canto de Pájaro

y las colinas, entonces, reverdecen,
el aire se hace nube y el cielo es tan azul

que dan ganas de jugar a que ahora sí,
los dos, a nada temen.

Perro y Pájaro sueñan

Perro es un fiero caballero:
combatirá a los fantasmas.

Pájaro tiene un barco:
es capitán del silencio.

Perro con ojos de valiente
busca al lobo bajo la cama.

Pájaro canta a la noche
y la luz aparece en la casa.

Perro y Pájaro sueñan
que hay un camino de nubes,
de sol y de muchas palabras.

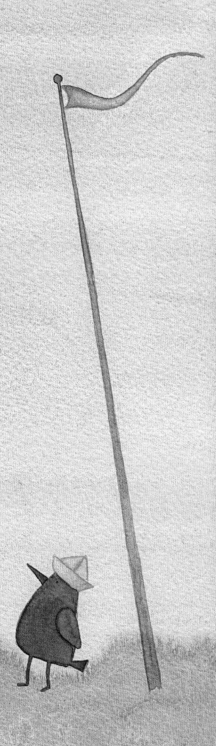

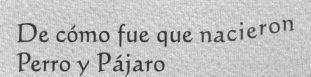

De cómo fue que nacieron
Perro y Pájaro

Perro nació como nacen
los más grandes guerreros.
Se alimentó con lumbre
bajo la sombra de los árboles.
Ladró y ladró hasta encontrar su casa,
un lugar de sol en esta tierra.

Pájaro nació de un río
veloz y transparente,
picó manzanas
en el aire de la primavera
y vio cómo la luz
caía como una espada
entre las hojas de este suelo.

Lo que 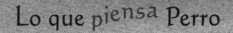 piensa Perro

Estoy aquí
rodando
entre la yerba,
nubes abajo,
de cara al cielo,
y el sol tan lejos
de mi casa.

Casi junto a la voz
de un grillo
y al lento caracol
de los crepúsculos,
me arrastro
y recorro
todo
este universo.

Estoy aquí
junto a la tierra.

Escucho su tictac
profundo, su voz
de bosque,
su grito azul
como relámpago.
No quiero irme de aquí.
Aunque llegue la noche
con su sombra sin sueño
y su luna de lejos.

Quiero quedarme
rodando,
        rodando
entre la yerba,
de cara al cielo,
hasta que pueda decir
las pequeñas vocales
de un amigo.

De cómo Pájaro se encontró con Rana

¿Quién eres tú
que pareces la Reina de la charca?

Me asombra tu color de almendra
tus verdes ojos atigrados,
tus labios largos que se abren al crepúsculo
para nombrar el mundo
y ese salto
      ese salto
           ese único salto
que me hace ver el aire
donde hubo luz
        y ahora sólo
quedas tú
en mi palabra.

De lo que hicieron Perro y Pájaro en su casa

Un día de aire abrieron la ventana
y su casa se fue volando
                        volando
hasta llegar a lo lejos
de otra galaxia.

Azul fue el grito que dio tan fuerte Pájaro
que afuera
los gatos replicaron y se asustaron todas las arañas.

Entonces cerraron la ventana
y lentamente el mundo
apareció debajo de las nubes
y el río rugió,
bailó la charca,
los árboles temblaron
a ritmo de silencio
y los dos amigos se abrazaron fuerte
a la espera del sol
que siempre resplandece
aun cuando ellos dos estén en ese sueño
que los cuenta.

De lo que no saben ni Perro ni Pájaro

Hay horas en los días
que pasan despacio por la tierra.

Y no adivina Pájaro su canto
ni Perro su juego de luz al horizonte.

Son horas lentas como voces
de un suave durazno

o como la risa de niños
que dibuja la luna en el campo.

Hay horas que los ojos no miran
porque se elevan de la página

y se van de nosotros, despacio,
por la tierra y no preguntan cuándo.

Lo que sucede en lo alto de una rama

Aquí duermen las flores y las hojas,
los gusanos, como viejos caballos
agotados, descansan
en el blanco silencio de las ramas.

Pájaro abre un ojo adentro de su sueño.
Y se imagina que con su enorme pico
puede silbar hacia los truenos
como si fuera una larga cascada
que humedece la tierra
                                        y así
hacer temblar a todos
con ése su rugido.

De pronto se despierta
y ve que está solo,
solo y en silencio
en el sueño de las ramas.

De lo que Pájaro quiso saber

¿Qué es el invierno, Perro?,
preguntó Pájaro.

Y Perro dijo:
es como un canto
frío de la luna
por fuera
de tus alas.

Sinfonía para Perro cantada por Pájaro

Porque no
porque no es
porque no es más
porque no es más que
porque no es más que un perro
porque no es más que un perro que pasa
y mueve su rabo,
alegre,
por mí.

Porque no es más
porque no es más que
porque no es más que un perro
porque no es más que un perro que pasa por la calle
y me sigue, contento, a mi casa,
y juega conmigo
y yo
que vuelo en el aire
y le silbo a la noche
simplemente
me pongo
feliz.

De los nombres que Pájaro
le puso a Perro

Colican,
canudo,
poliperro,
perropara parasí,
capuchón, canino,
carabobo, caralí,
perrimío, perritodo, pelotero, pillín,
lanudo,
hocicudo,
porque sí
porque así,
tú Perro
y
yo
siempre
tu amigo,
amigo
de ti.

Coyote habla del vuelo
de su amigo Pájaro

Arriba al aire
a pleno cielo
de luz a nube
de nube todo
como una ola
que llega pronto
y dice: ¡mar!,
mar en el cielo
lleno de peces
como si fueran
viento, viento
que zumba
zumba tan fuerte
que el tiempo
ruge, ruge

en el cielo
de nube a nube
como si fuera
un aire
aire de pronto
que pasa rápido
arriba de mí.
¡Auuuuuuuuu!

Canción de la tarde

Corríamos por el campo buscando voces
hermosas como flores,
y la tarde caía.

Veíamos a los niños correr entre la yerba
huyendo del lobo y de su aullido,
y la tarde caía.

Queríamos un mar lleno de frutos y de soles
y una luna de mercurio,
y la tarde caía.

Cantábamos bajo el árbol entre sueños
soñando con la espuma y cien vacas marinas,
y la tarde caía.

Girábamos envueltos en la lluvia junto a un pez
creyendo que era un ave,
y entonces…

los niños eran soles, las voces eran mares
los lobos eran frutos, las lunas eran vacas
y nosotros, la tarde.

Un sueño de Pájaro

Sueña Pájaro que caza un puma.
Un puma en una selva de África.

Cruza de un salto la planicie.
Mira a los ojos del puma con fijeza.

Siente su negra piel de terciopelo.
Tiembla.

Pájaro decide mejor irse.
Los árboles se agitan con su vuelo.

La luna lo guarda en su silencio.
Shhhhhh   shhhhh   shhhhhh

El puma bebe luz junto a su sueño.

Un dibujo

Puedo pintar un lago con mi lengua,
un bosque largo de abedules
donde sueñan las princesas,
un sol redondo, aquel sol de nosotros,
y un caballo blanco
con dos jinetes arriba de su lomo.

Puedo ver las ciruelas en los huertos,
las ramas en las nubes
y un camino rojo con casas de colores.

¿Pero a dónde va
          el que siembra sombras
               delante de aquellas dos estrellas?

Mejor pinto un arcoíris largo y lento
con todos sus colores que salen de la aurora
para que no llegue el silencio
con su cara seca
como si fuera la nieve del invierno.

El secreto

Pájaro ve una gaviota azul por la ventana.
Le habla del mar y los cangrejos.
Le cuenta de la espuma y de la risa de las olas.
Pájaro, entonces, piensa en irse lejos,
pasar siete montañas, volar, volar,
hasta los labios de la playa.

Dice una palabra
y de sus ojos
rueda el mar en una lágrima.

De cómo llegó un tiranosaurio

Increíblemente/ pesadamente
daba vueltas y vueltas
        y una mosca
    sola solísima
pasaba entre sus patas
    zumbe que zumbe
por su cola tan larga
y las estrellas en lo alto,
      tan alto que no las alcanzaba,
brillaban como sombras
de soles y de pájaros
      y él, aquel tiranosaurio
        increíblemente/ pesadamente
delante de nosotros
    de la mosca y de mí
levantó su enorme pata
        y...
Corrimos por la noche
con los ojos
tan llenos de las sombras
    zumbe que zumbe
      ¡ay!

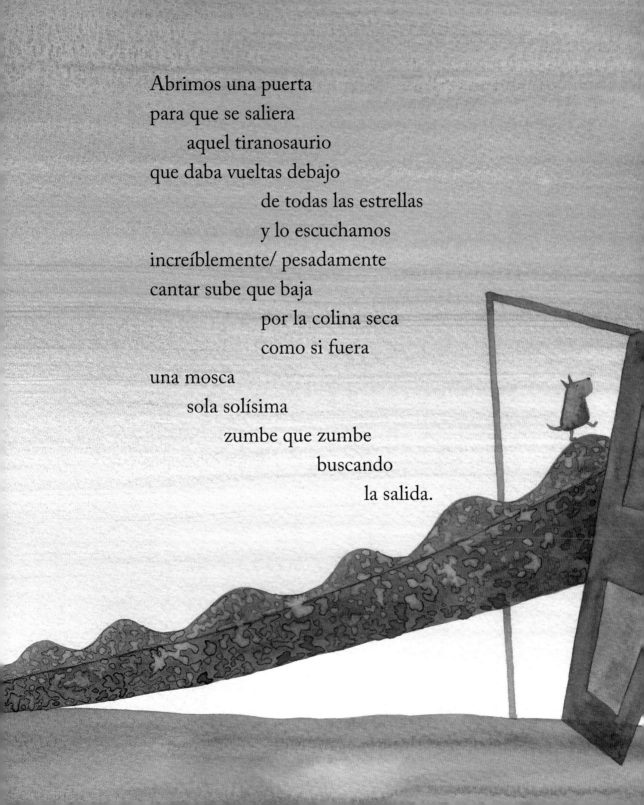

Abrimos una puerta
para que se saliera
        aquel tiranosaurio
que daba vueltas debajo
                de todas las estrellas
                y lo escuchamos
increíblemente/ pesadamente
cantar sube que baja
                por la colina seca
                como si fuera
una mosca
        sola solísima
                zumbe que zumbe
                        buscando
                        la salida.

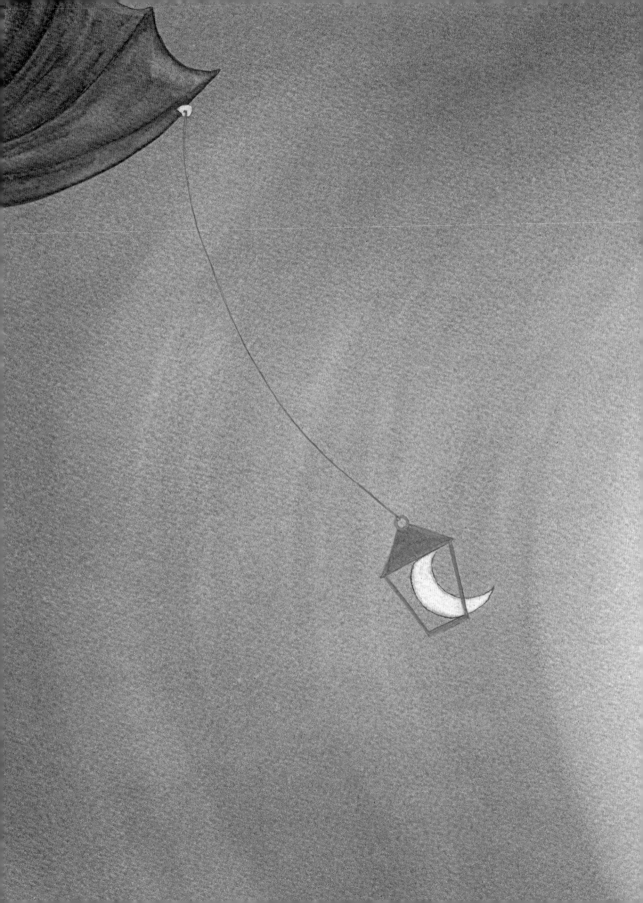

De la casa de su amigo Murciélago

Noche abierta, pico adentro,
hoja de ámbar,
río de cantos, alas de relámpago,
cueva de sol y sueño.

De la casa de su amigo Topo

Orilla del alba,
terciopelo de piedra,
mar adentro de la tierra
llena de luz y tiempo.

Perro conoce a Pato

Afuera
pasa un pato
por el camino que lleva al río.

El pato es el sonido del campo,
agua en un atardecer
de luna junto a la casa.

Pato ríe, Perro ladra,
Pato vuela, Perro canta,
Pato dice, Perro calla,
Perro lame, Pato avanza,
Pato pide, Perro manda,
Pato pica, Perro salta,
Pato el canto, Perro sus alas.

El ojo de la mañana

Yo que día a día,
trabajo con las ganas
de quien cree
en los árboles y los insectos,

de quien mira de frente al sol
de todos los inviernos,
de quien vive atento
al aviso de la luna.

Yo, que mi fuerza es el aire,
y mi sueño
el canto de los vientos
y que cada mañana que pasa
late mi corazón entre la hierba,

pienso en un río enorme
de palabras
donde bañar
mi nombre de luz bajo sus aguas.

De lo que Pájaro le dijo a Perro

Amigo,
no pierdas el tiempo con la sombra de los árboles.
Es su tronco
que reposa fatigado,
son sus ramas
como pinceles que se cruzan en la sed de la montaña,
son sus hojas
como altas páginas arriba al aire de los muros
lo que a diario nos hace sentir
que somos
        una parte
            apenas de este mundo.

Recado de Caracol a Perro

Quiero escribirte
a ti
Perro
que corres
y ladras
arriba de mi casa
y yo
que estoy
solo
entre la yerba
escucho
tu ladrido
y pienso
que tú
eres
para mí
todo,
todo
el universo.

Río de los amigos

Corre fuerte y en paz junto a nosotros,
río de los amigos,
separa de tu cauce
los días que endurecen
la blanca quietud de nuestros corazones,
aguarda por nosotros siempre que la lluvia
nos cante lenta con su rumor de lejos,
pregúntale a la selva por el color de nuestros ojos,
por los gritos que damos solitarios
cuando llega la noche a bendecir los cuentos,
no dejes nunca, río de los amigos,
de fluir por nosotros
aun cuando no estemos juntos
o nuestras risas se hayan ido con el vuelo
de otros sueños.

María Baranda

Nací en la Ciudad de México cuando no había tantos coches y los niños podíamos salir a jugar a la calle. Mis hermanos y yo corríamos junto al tren que pasaba por la casa y gritábamos fuerte, muy fuerte, para ganarle al tren en su sonido. Ellos, mis hermanos, se subían ágiles y veloces para mostrar su valentía. Parecían pájaros gigantes a punto de volar. Yo nunca lo hice. Siempre los esperé de pie, junto a la vía, sola, segura de que alguna vez podría hacerlo. Entonces apretaba los ojos con mucha intensidad, cada vez más y más, hasta sentir que me iba, alas al aire, y que podía volar. Porque cierro los ojos y pienso en una palabra y todo se pone azul y blanco y yo me voy, me voy hasta lo alto del cielo. Hace tiempo que aprendí que las palabras son mundos, mundos que me llevan al aire y a soñar que yo algún día, estoy segura, podré volar.

María Wernicke

Nací en Olivos, Buenos Aires, a muy pocas
cuadras del río. Ahí crecí, en una casa
chiquita con jardín grande, entre gatos,
árboles, plantas, pájaros, caracoles
y hormigas. Me gustaba trepar al roble,
andar en bicicleta, hacer tortas de barro,
mirar el mundo con un microscopio,
y escribir y dibujar en cualquier parte,
en papeles, en las paredes y la tierra. Y ahora,
que dicen que soy grande, sigo disfrutando
las mismas cosas: de cuidar mis plantas,
cocinar, llegar al río en bicicleta, escribir
y dibujar, y de los gatos de todos los colores.
A falta de microscopio, uso anteojos.
Y aunque en la casa donde vivo no tengo
un roble, trepo a la terraza, para ver cómo
se pone el sol y sale la luna, para ser aire,
pájaro y nube, y poder abrazar la tierra
desde el cielo.

Sol de los amigos

se imprimió en el mes de mayo
de 2010, en los talleres de Offset Rebosán,
en Acueducto, núm. 115, Col. Huipulco, Tlalpan,
C. P. 14370, México, D. F. • En su composición
tipográfica se utilizó la familia Adobe Caslo Pro •
Se imprimieron 2 000 ejemplares en papel
couché de 150 gramos, con encuadernación en
cartoné • El cuidado de la impresión estuvo
a cargo de Ana Laura Delgado.

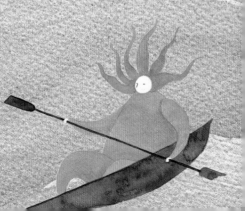